- HERGÉ -

NA DÀNA-THURSAN AIG TINTIN

AN T-EILEAN DUBH

AIR EADAR-THEANGACHADH LE
GILLEBRÌDE MAC 'ILLEMHAOIL

TAIGH NA TEUD

www.scotlandsmusic.com
www.dalenalba.com

Tintin mu chuairt an t-Saoghail

Afracànais Human & Rousseau
Airmenianais Éditions Sigest
Albais Taigh na Teud / Dalen Alba
Arabais Elias Modern Publishing House
Asamais Chhaya Prakashani
Beangàlais Ananda Publishers
Beurla Egmont UK
Beurla (SA) Little, Brown & Co (Hachette Books)
Catalanais Juventud
Coreanais Sol Publishing
Creòl Caraïbeeditions
Creòl (Réunion) Epsilon Éditions
Croatais Algoritam
Cuimris Dalen (Llyfrau)
Dànais Cobolt
Eadailtis RCS Libri
Estoniais Tänapäev
Fionnlanais Otava
Fraingis Casterman
Gàidhlig Taigh na Teud / Dalen Alba
Gearmailtis Carlsen Verlag
Greugais Mamouthcomix
Hindi Om Books
Indonesis PT Gramedia Pustaka Utama

Innis Tilis Forlagið
Latbhiais Zvaigzne ABC
Lituànais Alma Littera
Nirribhis Egmont Serieforlaget
Òlaindis Casterman
Pòlais Egmont Polska
Portugàlais Edições ASA
Portugàlais (Brasil) Companhia das Letras
Romanais Editura M.M. Europe
Ruisis Atticus Publishers
Seicis Albatros
Searbais Media II D.O.O.
Siapanais Fukuinkan Shoten Publishers
Sìonais (Toinnte) (Hong Kong) The Commercial Press
Sìonais (Toinnte) (Taiwan) Commonwealth Magazines
Sìonais (Simplidh) China Children's Press & Publication Group
Sloibhinis Učila International
Spàinntis Juventud
Suaineis Bonnier Carlsen
Taidh Nation Egmont Edutainment
Turcais Inkilâp Kitabevi
Ungarais Egmont Hungary

Tha Tintin cuideachd air fhoillseachadh
ann an iomadh dualchainnt

**COMHAIRLE NAN
LEABHRAICHEAN**
THE GAELIC BOOKS COUNCIL

Chuidich Comhairle nan Leabhraichean am foillsichear le cosgaisean an leabhair seo

Air fhoillseachadh an toiseach ann an 2013 le Taigh na Teud, 13 Breacais Àrd, An t-Eilean Sgitheanach IV42 8PY
agus Dalen Alba, Glandŵr, Tresaith, Ceredigion SA43 2JH
Air fhoillseachadh bho thùs ann am Fraingis mar Tintin: L'Île Noire
Foillsichte a rèir aonta le Casterman, A' Bheilg
© Còraichean dealbhaidh le Casterman 1956, ùraichte ann an 1984
© Teacsa Gàidhlig le Taigh na Teud 2013
Taigh na Teud ISBN 978-1-906804-97-8
Dalen Alba ISBN 978-1-906587-37-6
Air a chlò-bhuaileadh ann am Malta le Melita Press

AN T-EILEAN DUBH

Itealan ann an duilgheadas?

RRRRRRR

PFFT PFFT PFFT

Dè idir?

'S e itealan priobhaideach a th' ann, gun teagamh.

Trobhad 's chi sinn.

An toir e fada a chàradh?

Cha toir, na biodh eagal ort. Cha toir e ach greiseag bheag.

Iochd, dè th' ann ach itealan nach eil clàraichte.

Tha cuideigin a' tighinn.

'S truagh dhàsan! Tha fhios agad air ar n-òrdain.

ar math dhuibh, an urrainn dhomh ur cuideachadh?

BRAG

Eer

An ath mhadainn...

Seadh, a dhotair? Chan eil e cho dona idir. Bhuail am peilear ann an tè dhe asnaichean. Ann an trì latha eile, bidh e air a chois.

Gabhaibh mo leisgeul.

Am faod sinn Tintin fhaicinn?

Faodaidh sibh a dhol a-steach.

Seall ort: a bheil thu deimhinnte nach robh comharra clàraidh air an itealan?

Tha, tha mi làn chinnteach.

Suidheachadh annasach... suidheachadh annasach.

Sin e. 'S e suidheachadh... suidheachadh annasach a th' ann.

Tha cuideigin a' fònadh airson Mgr MacDhòmhnaill no Mgr Dòmhnallach.

Halo?... Seadh... Na poilis?... Seadh... Glè mhath... Dè?... Eastdown... Glè mhath... Tha mi a' tuigsinn. Falbhaibh sinn an-dràsta fhèin.

Tha sinn a' tilleadh a Shasainn. Thuit itealan nach robh clàraichte a-raoir faisg air àite ris an canar Eastdown, ann an Sussex. Mar sin leat.

Mar sin leibh... agus gur math a thèid dhuibh!

Tapadh leat!

BING BRAG BÀM

?

Carson nach coimhead thu far a bheil thu a' dol?

Agus tu fhèin? Dh'fhaodainn an aon rud a ràdh riut fhèin.

Eastdown... A-nis... Chan eil an còrr air, feumaidh mi a dhol ann. Comhairle an dotair ann no às!

Mar sin leibh.

Och! Na h-amadain! Cò a ghoirtich iad a-raoir? Cò ach Tintin fhèin!

Ghoirtich? 'S truagh nach do chuir iad crìoch air.

Seall!

COLÔN A' BHRUISEAL LUNNAINN

Dè tha ceàrr?

Coimheadamaid san trannsa.

Tha ciont air choreigin air an fhear ud!

Siud e a' falbh!

Stad thusa? Dè tha thu ris?

Iochd!

Leig leam! Leum duine far na trèana. Feumaidh sinn a leantainn!

Och, thu fhèin 's do chuid sgeulachdan.

Na fàgadh duine an trèan!

Chan eil math do dhuine an trèan fhàgail.

Tha e a' tighinn thuige.

Tintin! Dè tha thusa...?

Siud e. Siud am fear a thug ionnsaigh orm!

Mise?...

Ceart... tha an cuaille seo feumail airson smachd a chumail.

Agus tha sporan an duine agad cuideachd. Bha e anns a' phòcaid eile agad.

Tha mi ag ràdh ribh gu bheil mi neoichiontach. 'S e gnothach suarach a tha seo: chaidh na gnothaichean sin a chur nam phòcaid nuair a bha mi nam chadal.

Dè eile a nì sinn? Tha an fhianais air fad nad aghaidh.

Tha fhios agam.

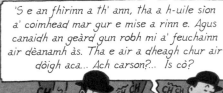

'S e an fhìrinn a th' ann, tha a h-uile sìon a' coimhead mar gur e mise a rinn e. Agus canaidh an geàrd gun robh mi a' feuchainn air dèanamh às. Tha e air a dheagh chur air dòigh aca... Ach carson?... Is cò?

Siud i! Iuchair nan glasan-làimhe! 'S math a rinn thu, Dìleas. Thoir a-n...

CHCH
CHCH

Carson a tha sinn air stad? Och, càite bheil Tintin?

Seadh. Càite bhei...

Dh'fhalbh e. A dh'aindeoin nan glasan-làimhe! Nach ann air a tha an aghaidh!

Agus canaidh mise barrachd air sin... 's ann air a tha an aghaidh! Nach e am blaigeard!

Tha Dìleas air mo bhrath!

'S esan a th' ann!

Stad! Tha thu fo ghrèim!

Tha sinn a' teannadh air.

Leis an fhìrinn innse...

Ah! Tha chead agad! Nam biodh tu air fuireach sàmhach, cha bhiodh dad dhe seo air tachairt.

Seo làraidh 's i a' dol an t-slighe againne. Feuchaidh mi an toir e leis sinn.

Nach mi a tha fortanach gu bheil thu a' dol chun a' phuirt. Ah. Saoil an ruig sinn ann an àm airson an aiseig?

Siud an t-àm. Tog air falbh na steapaichean!

Sin e, a charaid! 'S math a dh'obraich am plana beag againn, dè?...

'S math gu dearbh! Mun àm a bhios Tintin air ceistean a fhreagairt agus air a neoichiontachd a dhearbhadh, bidh sinn air falbh...

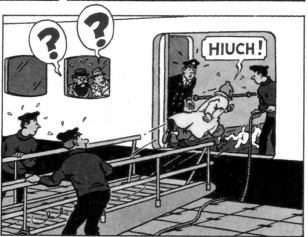

HIUCH!

Na leig leis ar faicinn. Chan urrainn dhuinn dad a dhèanamh air an t-slighe.

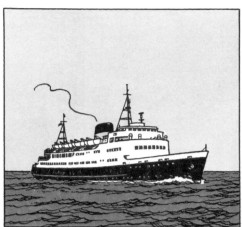

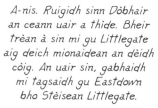

A-nis. Ruigidh sinn Dòbhair an ceann uair a thìde. Bheir trèan à sin mi gu Littlegate aig deich mionaidean an dèidh còig. An uair sin, gabhaidh mi tagsaidh gu Eastdown bho Stèisean Littlegate.

An toir thu gu Eastdown mi?

Bheir, gu dearbh.

Tha mi toilichte d' fhaicinn, Ivan... Chan eil ùine ri chall. Lean an tagsaidh ud.

Seadh ma-thà!

An do mhothaich thu dhan chàr ud, Dìleas... cho luath 's a chaidh e seachad oirnn.

?

Math gu leòr, tha iad a' tighinn an taobh seo... Deiseil?

Am bi sibh fada?

Cha... Chan eil fhios agam..tha rudeigin ceàrr air na brèigean... Tha... Tha...

!?‽?

'S math a rinn thu!

Siud agad e!

Ah, seall thusa Puschov; tha ar caraid Tintin a' tighinn thuige.

Tha, gu dearbh.

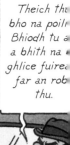

Theich thu bho na poil... Bhiodh tu a... a bhith na ghlice fuire... far an rob... thu.

Stad Ivan. Ni seo a' chùis.

Glè mhath.

Mach às a' chàr. Agus na feuch air rud sam bith a dhèanamh!

Fòghnaidh na dh'fhòghnas. Dè tha sibh ag iarraidh bhuamsa?

Cha ruig thu leas a bhith a' leigeil ort gu bheil thu neoichiontach. Tha làn fhios agad.

Fuasgail an ròpa.

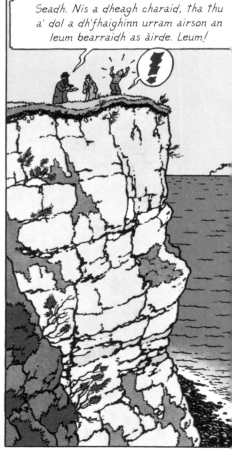

Seadh. Nis a dheagh charaid, tha thu a' dol a dh'fhaighinn urram airson an leum bearraidh as àirde. Leum!

Cuiribh suas ur làmhan!

An aire! Tha iad a' tilleadh!

Mach à seo!

Na gabh dragh, gheibh sinn e an ath thuras.

Trobhad, Dìleas, feumaidh sinn togail oirnn.

Tha deagh bheachdan agad, Dìleas. Ach cùm smachd ort fhèin!

Halo... Seadh... 'S e an Dotair Müller a th' ann. 'S tu fhèin a th' ann... Dè?... Tintin air ar tòir... Daingead! Cumaidh sinn cluas ri claisneachd.

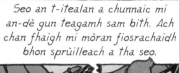

Nach eil thu air do nàrachadh a' call ar sùim a' siubhal chnàmhan. Thoir dhomh sin.

Tha mi air a ràdh riut ceud turas gun a bhith a' cagnadh seann chnàmhan shalach.

A-nis Dìleas, thig an seo anns a' bhad!

OOAH! OOAH!

OOAH! OOAH!

⁉

Nach neònach sin. Tha e dha-rìribh ag iarraidh gun lean mi e.

Thèid mi ann ma-thà. Ach, tha mi an dòchas air do shonsa nach e cnàimh eile a th' ann.

?

Seacaidean itealaich! Feumaidh gun do chuir na blaigeardan bhon itealan am falach iad.

Cha do dh'fhàg iad sìon anns na pòcannan ge-tà.

Oho! Seall siud, cibheagan pàipeir. Chaidh rudeigin a shracadh. 'S dòcha gun toir seo tuairmse dhuinn.

Tha dùbhlain daonnan a' còrdadh rium agus abair thusa gur e dùbhlan a tha seo.

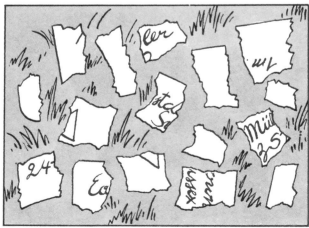

12

Siud e a-nis.

Eastdown
Sussex
Müller
3.50.

24 — 1m

Och. Chan eil sin gu mòran feum. Dè idir a tha e a' ciallachadh?...

Och, Dìleas. A-rithist?

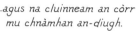

...agus na cluinneam an còrr mu chnàmhan an-diugh.

AOBH!

?

B'fheàrr leam gum biodh tu na b'fhaiceallaiche. 'S e talamh prìobhaideach a tha seo co-dhiù.

Tha mi duilich. Bha mi air chall.

...a sin taghta an turas seo, ...h na tig an seo tuilleadh. ...h am frith-rathad sìos chun ...h-aibhne, theirig tarsainn ...a drochaid, agus chì thu ...m prìomh rathad an sin.

Dìleas, a bheil thu a' feuchainn air mo shàrachadh?

Siud an rathad.

Bheir e mu leth-uair faighinn gu Eastdown...

??

Dr J.W. MÜLLER

Dìleas! Thig an seo!

Feumaidh sinn falbh. Mu dh'fhaodte gun tug an cù rabhadh dhaibh.

AOBH!

Ribe!

DRRRRING

!

Ò! Ò! Tha cuideigin air a ghlacadh ann an ribe a naoi. Nach toir sinn sùil.

?

Abair thusa rud ris nach robh sinn an dùil. Tha Tintin fhèin air tighinn a thadhal oirnn.

Leig às e Ivan. Cha theich e idir.

Cuir air dòigh an càr. Falbhaidh sinn anns a' bhad.

...ach an dèidh ochd uairean de chùram, cha bhi dùil riutha fàs nas fheàrr. Gabh mo leisgeul: feumaidh mi fòn a chur agus an dèidh sin bheir mi làn aire dhut.

Saoil thusa...

Halo? Horncliffe? Tha euslainteach òg agam dhut... tha e... uh... air leth cunnartach. Bidh e feumach air an leigheas B... Bheil thu a' tuigsinn? Glè mhath!

...maide a' losgadh?

Siud fear agam... a chumail ris an ròpa a-nis...

Gun teagamh, mar as dual tha coltas ciallach air....ach an dèidh leigheas....bheil thu a' tuigsinn?

'S e mearachd a bh' ann dhut a dhol an sàs anns na gnothaichean againne. Feumaidh mi a-nis faighinn cuiteas thu. Gu sealbhach, 's e stiùiriche ionad slàinte inntinn a th' annam: àite gu math sònraichte. Chan eil a h-uile gin dhe na h-euslaintich agam às an ciall nuair a thèid iad ann an toiseach...

Siud e!

Agus seo dhut!

?!

BRAG

BRAG

?!

BRAG

SUITS
BRAG

Mo ghunna!

CLAG

Mo mhallachd air! Tha e falamh!

CLIC

CLAAGGG

AOBH!

AA-UGH!

Gunna Ivan... 's tha e fhathast làn.

Ach, tha e agam a-nis!

Seall siud! Teine!

Siud an t-àite aig an Dr. Müller na theine!

UUOooO UOOO UOOoooo

STÈISEAN SMÀLAIDH

Tha a h-uile duine againn deiseil!

Glè mhath!

Och, càite bheil an iuchair?

Feumaidh gun do chuir mi a dh'àiteigin i...

Dè idir a nì sinn? Tha toll nam phòcaid. Feumaidh gun do thuit an iuchair fhad 's a bha mi a' ruith...

Amadan! Greas ort! Feumaidh sinn coimhead air a son...

Siud i! Tha sinn dìreach ann an àm. Tha sùil aig a' phioghaid tha siud oirre!

?

Stad! Mèirleach! Leig às an iuchair ud!

Fhuair mi i!

AAAH!

AAAH!

Ceart gu leòr?

Tha e gus a bhith agam... diog no dhà eile...

Mo thruaighe mhòir! Tha mi air an tè cheàrr a thoirt leam. Chan e seo iuchair an stèisein idir!

Siud thu Haraidh. Cò mheud turas a thuirt mi riut, sin iuchair a' phreasa agamsa.

DIONG DIONG DIONG

SEIRBHEIS SMÀLAIDH

Abair thusa mì-shealbh. An t-seirbheis smàlaidh!

A bheil duine sam bith na bhroinn, a Dhotair?

Chan eil. Gu fortanach, fhuair sinn air fad a-mach.

OUAH! OUAH! Feumaidh iad Tintin a shàbhaladh. Ciamar a dh'innseas mi dhaibh? OUAH!

Feumaidh mi stad a chur orra ge brith dè, no gheibh iad e!

Tha iad trang... seo an t-àm... cha mhothaich duine dhomh.

An ath mhadainn...

Agus dè thachair dhan Dr Müller?

Tha mi duilich a ràdh nach deach againn air a ghlacadh. Bha an càr aige a' feitheamh ri taobh an taighe. Leum e ann, leis an dràibhear aige, agus dh'fhalbh iad aig peilear am beatha. Cha b' urrainn dhuinn dad a dhèanamh.

Daingead! B' fheàrr leam fios a bhith agam...carson a bha iad ag iarraidh cur às dhomh? 'S dòcha gum faigh mi rudeigin anns an taigh a bheir tuairmse dhomh. Tha fhios nach do sgrios an teine a h-uile rud.

Chan eil thu a' faighinn às an leabaidh idir!

Tha mi. Tha mi math gu leòr.

Iochd ach am milleadh a chaidh a dhèanamh air taigh an Dr Müller.

Hmm... Chan fhaigh mi sìon as d' fheuch an seo.

Càblaichean dealain? Carson a tha iad sin an seo?

Ò! Ò! Tha iad a' cumail orra...

Tha e a' cur iongnadh orm càite bheil iad a' dol?

Solas dearg. Chan eil mi a' tuigsinn...

Agus chan e sin e fhathast. Tha na càblaichean a' leantainn orra.

Seadh ma-thà, a bheil thu a' dol a dhèanamh seo fad an latha?

Tha solas eile an seo cuideachd.

Agus a-nis seo an treas fear.

Seall thusa. Tha na trì craobhan a' dèanamh cumadh triantain.

SIUD E!

Müller
35R
24·   1m

Tha na stiùiridhean seo dhan phìleat anns an itealan ud. Tha 3 s. d. △ a' ciallachadh gu bheil solais ann an triantan...

Aig an aon àm...

Agus 's e as miosa dhe, gu bheil dùil ri itealan eile làn stuth tighinn a-nochd. Mura bheil na solais air, falbhaidh e gun an luchd fhàgail. Agus tha mise a' fàs gann de dh'airgead...

Feumaidh sinn tilleadh, Ivan. Seo a nì sinn. Tillidh sinn air ais agus cuiridh sinn air na solais. Leagaidh an t-itealan a luchd agus cuiridh sinn sin dhan chàr. Ro mhadainn a-màireach faodaidh sinn a bhith a-mach às an dùthaich. Dè do bheachd?

Deagh bheachd.

An oidhche sin...

Daingead! Tha na càblaichean air a bhith air an togail. Tha cuideigin air an siostam againn a lorg.

Seall thall an siud. Tha na solais a' deàlradh.

Tha cuideigin eile a' feitheamh ris an itealan! Ma leagas iad an luchd an-dràsta, chan eil dol às againn! Feumaidh sinn stad a chur orra. Feumaidh sinn na solais ud a dhubhadh. Siuthad, cuidich mi gus na càblaichean a ghearradh.

Ach... ach... tha na solais fhathast air!

Saoil an tig an t-itealan a-nochd?

RRRRRRR
?

Deiseil airson an luchd a leagail. Chì mi na trì solais dhearga.

Tha an t-itealan an seo. Dè nì sinn?

Aonan!

Iochd... tha iad air rudeigin a leagail.
BUIM

Trobhad 's chì sinn.

Nach creideadh tu e, Tintin!

An dàrna fear.

SPLAD
Fear eile!

Thuit am fear ud gu math faisg oirnn. Bidh e nas fhasa a lorg na am fear eile.

Saoil dè gheibh mi.

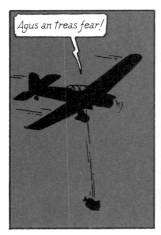

Tintin, am faod mi mo làmhan a chur sìos a-nis?

Dùisg Tintin!

?

Ò!

Ah! Tha mi a' tuigsinn, sheas an t-amadan gòrach air an ràcan agus thug e sgleog dha fhèin. Gheibh mi a ghunna...

An aire ort, Tintin!

SGLEOG

Siud thu!

Abair neart!

'S e as cudromaiche a-nis ach an ceangal gu teann!

Chan eil an còrr air. Chan eil ròpa agam agus cleachdaidh mi càball an dealain.

Agus a-nis na pocannan. Saoil dè tha nam broinn...

AIRGEAD PÀIPEAR!

A' dèanamh airgead fuadain! Sin na tha sibh ris! 'S e am prìosan a tha a' feitheamh oirbhse.

'S fheàrr dhomh an dà phoca eile a lorg.

Siud aon fhear dhiubh...

?

¡OG!

AAG!

27

Ò! Tha iad a' dèanamh às!

Tha mi a' tuigsinn ciamar. Nuair a ghluais iad dh'adhbhraich iad gearradh anns a' chuairt agus loisg na càblaichean.

Greas ort, Ivan.

An càr! Tha iad a' dèanamh às. Chan eil dòigh air thalamh stad a chur orra. Ach...

Seo an aon chothrom a th' agam. Ma thig iad an taobh seo, mu dh'fhaodte...

Dè idir tha fa-near dha?

Aha!

Air do shocair a-nis... feumaidh mi seo fhaighinn ceart...

HUP!...

Carson nach do chleachd e an geata mar a rinn mi fhin? Tha e daonnan a' feuchainn a bhith na lùth-chleasaiche!

Och, chan eil dòigh air thalamh a bheireas mi orra a-nis!

Seall, tubaist!

Iochd, 's e an càr acasan a th' ann! Am fàg thu an seo mi?

An fheadhainn a bha na bhroinn? Cha do thachair sìon dhaibh. Chunnaic mi iad a' dèanamh air an stèisean rèile.

Tha iad a' dol air an trèan.

TÙT

Tha an trèan a' fàgail!

?

Tintin, nì thu sprùilleach dhìot fhèin air an rathad a-rithist!

Trobhad thusa, Dìleas!

Rinn mi e an turas seo!

Ò! Tunail!

An aire ort fhèin Tintin!

Nach i a tha fada!

Uuh, ach am fàileadh!

Ò Tintin, ach do choltas!

Cùm grèim orm, Dìleas!

Tha mi dìreach a' dol gam nighe fhìn. Cùm sùil air a' phoca.

Glè mhath.

Stad!

Stad e!

Dè tha dol an seo?

Nis 'ille...

Leig seachad mi.

Mach à seo! Tha Tintin air an trèan!

?

Na h-amadain, a' cur dàil orm. Feumaidh mi cabhag a dhèanamh...

Chan eil ùine ann airson modh!

Feòil-circe dhuibh?

Hmm...

Duilich!

!

Deiseil?

Tha, tha e gu bhith dèanta.

Oho, tha i a' sileadh.

Chan e uisge a tha siud idir. Ach, tha rudeigin tarraingeach mu dheidhinn cuideachd!

Aah! Tha e ag aoidion...

'S fheàrr dhomh mi fhìn a ghlanadh.

STAD!

Stèisean? Chan e. Saoil carson a stad iad ma-thà.

Trèan na stad air an loidhne? Nach neònach sin...

Siud an tè a dh'fhàg na mèirlich às an dèidh... Ach càite an deach iad? Mu dh'fhaodte gum bi fiosrachadh air choreigin aig an dràibhear...

Bill, a bheil thu math gu leòr? Dè thachair dhut?

Thug dithis bhrùidean orm stad agus an uair sin thug fear aca sgleog dhomh an cùl a' chinn. Chan eil fhios agam dè thachair an dèidh sin no càite an deach iad...

Tha sin taghta. Gheibh an cù agamsa iad... tha e math le shròn.

Nis càite an deach e. Dìleas! DÌLEAS?

DÌLEAS!

Sin thu. Tha mi... hup... tha mi air mo... hup... gheibh... hup... mise iad.

34

Iochd, tha e ga dhalladh!

Seall nas urrainn dhòmhsa dèanamh!

Gnothach nàr! Sgràthail! Tha thu nas miosa na cù na sràide!

Greas ort a-nis, feumaidh tu am fàileadh aca fhaighinn. Tha sinn an tòir nam mèirleach!

Chan eil sin ceart... hup... Cha robh fhios agam gun robh... hup... bràthair agad!

Taigh-seinnse... agus tha Dìleas a' faighinn fàileadh air rudeigin!

OUAH!

Tha e air an tòir! Cha tug e briseadh-dùil dhomh riamh.

OUAH!

OUAH! OUAH!

⁉✱❗

'S fheàrr dhutsa an aire a thoirt!

?

Cùm thusa ort, Dìleas!

Tha mi dìreach an dòchas nach eil sinn ro fhadalach!

CLUB
SGÈITH
' CHLACHAIN

PARCADH

Seall! Tha itealan a' togail air falbh...
Cuiridh mi geall gur iadsan a th' ann!

Thoir an aire! Tha e a' feuchainn oirnne!

G·AREI

Blaigeardan!

Chanainn fhìn sin cuideachd!

G·AREI

Ar n-adan?

Thall an siud.

Na gràisgean! Na h-adan as fheàrr againn... cha mhòr nach robh iad ùr glan.

Tha cuimhne agam gu bheil seachd bliadhna bho cheannaich sinn iad.

Tha mise a-nis a' smaoineachadh gun robh Tintin ceart... 's e mèirlich a th' annta.

A dh'innse na fìrinn... tha agus mise. Mu dh'fhaodte gu bheil Tintin ceart... tha droch choltas orra.

RRRRR

Fuirichibh rium!
Tillidh mi!

Chan eil ùine ri chall! Tha inneal eile thall an siud, greas ort!

'S e poilis a th' annainn. Cuir gu dol i. Feumaidh sinn falbh an-dràsta fhèin!

Ach, chan e...

Fòghnaidh na dh'fhòghnas! 'S e poilis a th' annainn. Dèan e! Feumaidh sinn an t-itealan seo agus bidh thusa nad phìleat!

Bheil thu a' tuigsinn?

Greas ort, a phìleit!

Cha ruig thu leas a bhith a' dèanamh uiread de chleasan.

Chan urrainn dhomh dèanamh nas fheàrr. Seo a' chiad turas a bha mi a' sgèith. Chan eil annamsa ach meacanaig!

Chan fhada gus am bi sinn aca, mura...

Dìreach mar a bha eagal orm, mura bi sgòthan ann.

Chan fhaic sinn sìon. Tha sinn air an call.

Feumaidh sinn dol gu talamh... chan eil mi ag iarraidh laighe anns a' mhuir.

Chan eil coltas ro dhona air an àite seo.

Balla! Tha sinn ullamh!

CRAC

CRAG
BRAG

?

Bheil thu math gu leòr?

An duine bochd. Tha e air tuiteam am measg nan smeuran.

Thig dhachaigh còmhla riumsa agus bheir mi aodach dhut. Chan eil e fada.

Theab sibh... ach cha do rinn theab cron riamh!

Theab sinn a bhith marbh!

Èistibh... 's e itealan a tha siud.

Chan fhaic thu e leis a' cheò.

Feumaidh tu an t-itealan a thoirt gu talamh.

Ach tha mi ag ràdh ribh nach eil fhios agam ciamar a nì mi sin.

Cùm grèim air an stiùir. Na toir do làmhan dhen chuibheill co-dhiù!

Ò! Bha dùil agam gun robh mo làithean seachad.

Agus mo làithean-sa cuideachd.

A-steach leibh!

Tha h-uile rud a bhios a dhìth ort an sin.

Tapadh leibh.

?

Math gu leòr?

Tha. Tha mi a' tighinn.

Seo!

Ò!

Biast?
Dè a' bhiast?
Uilebheist
Loch Nis?

Chan e, a bhalaich bhig! Tha mi a' bruidhinn mun bhiast a tha a' còmhnaidh air an Eilean Dubh, ann an tobhta Caisteal na Beinne Mòire. Bidh an creutair ag ithe a h-uile duine a thèid faisg air an àite.

Tha cuimhn' agam bho chionn trì mìosan, chaidh dithis a dhèanamh beagan rannsachaidh air an eilean. Dh'fhalbh iad ann an curach. Bha i cho ciùin 's a ghabhadh, cha robh deò air adhar... agus eil fhios agad, cha chualas guth riamh orra tuilleadh! Agus bidh mu bhliadhna ann bhon a chaidh iasgair à Feilebeag a dhìth...

Bha droch cheò ann an latha ud cuideachd... MacGriogair bochd! Tha fios ann gun deach e air tìr air an eilean ...ach cha tàinig guth bhuaithe bhon uair sin! Agus bho chionn dà bhliadhna... och dh'fhaodainn cumail a' dol gu madainn leis na sgeulachdan... na truaghain.

Och! 'S e biast uabhasach a th' ann... Uaireannan air an oidhche cluinnidh tu e air a' ghaoith... Ist! Cluinn thusa!

BRAG

BRAG
BRAG

?

Seo do shuipear.

Tapadh leat. Uill, tha e annasach. A-màireach, thèid mi chun an Eilein Duibh.

An ath mhadainn...

An toir thu a-null chun an Eilein Duibh mi?

An t-Eilean Dubh? Tha thu ag iarraidh chun an Eilein Duibh? A bheil thu sgìth dhen bheatha seo?

Dè rud? Do thoirt chun an Eilein Duibh? Cha toir, ged gheibhinn na tha de dh'òr sa chruinne. Chan eil mise airson bàsachadh fhathast.

Chun an Eilein Duibh? Cuimhnich air na chanas mi, chan eil duine sa bhaile seo a thèid gu àite na mallachd sin.

Sin e! Dìreach na tha a dhìth orm!

Am faod mi do bhàta fhaighinn air iasad airson greiseig?

Faodaidh gun teagamh ach a bheil fhios agad mar a dh'obraicheas tu e?

Càite bheil thu a' dol an-diugh?

Ò, tha mi ag iarraidh sùil a thoirt air Caisteal na Beinne Mòire.

An t-Eilean Dubh? Chan eil thu! Cha thill thusa agus chan fhaigh mise am bàta air ais!

Dè ma cheann-aicheas mi am bàta?

Tha sinn a' togail oirnn!

Siud fear eile nach till...

An t-Eilean Dubh!

Bha iad glè cheart ann am Feilebeag. 'S e àite uaignidh a th' ann...

Tòisichidh sinn aig a' chaisteal.

Feumaidh gur e siud an staidhre gu ruige an tùir.

Abair sealladh!

BRAG BRAG

Faigh iad, Ranko, faigh iad!

An goiriola! Agus tha cuideigin còmhla ris.

RAAAH!

OOAH!

Uamh! Sin thu fhèin, Dìleas. Gheibh mi a-steach còmhla riut...

OOAH!

Math fhèin... tha i a' fosgladh a-mach.

Ist! Tha iad a' tighinn...

Siuthad Ranko. Faigh iad!

Ah, 's ann an sin a tha e am falach. Tha e againn a-nis!

RAAAH!

Iochd! Tha e air ar glacadh! Taing do shealbh gu bheil e cho cumhang aig an aghaidh.

OOAH!

Sin thu fhèin, Tintin chòir, tha thu air faighinn às... Chaidh agad air teicheadh bho Ranko... Tha thu gu math sàbhailte nad uaimh... Ach...

Tha aon nàmhaid ann air nach dèan thu an gnothach: a' mhuir! Och, Tintin chòir, chaidh an cuan mòr às do chuimhne. Tha i a' lìonadh. Mura b' fheàrr leat tighinn a-mach gus coinneachadh ri Ranko a-rithist bàthaidh tu mar radan ann an toll!

Feumaidh sinn faighinn às an àite seo...

BRAG
BRAG

BRAG

An trustair! An aire ort fhèin.

OOAH!

Dè a-nis...?

OOAH!
OOAH!

Dè tha Dìleas air a lorg? Nach toir sinn sùil.

Chan eil do leithid ann, Dìleas! Tha thu air ar sàbhaladh!

Tha an uamh a' cumail oirre.

Càite bheil seo a' dol?

Tha solas an siud...

?

48

Aon cheum eile agus bidh an dithis agaibh marbh!

Sin e! Tha ròpa thall an siud. Thusa, leis na bòtannan, faigh an ròpa agus ceangail do charaid leis na ciabhagan air a bhilean. Agus teannaich gu math e!

Greas ort! Ceangail an ròpa cho teann 's is urrainn dhut. Chan eil mi airson losgadh ort!

Thusa a-nis. Nach neònach 's a bhios brùidean a' fàs socair nuair a bhios gunna le peilear ann air a chumail riutha.

Le peilear ann?... Nach mi an t-amadan! Tha mi dìreach air cuimhneachadh nach eil peilear anns a' ghunna!

Bha an t-àm agad sin a chuimhneachadh!

Iochd! Tha e ceart. Tha e falamh!

Cuidich! Cuidich! Dèan cobhair!

Cuidich! Cuidich! Tha Tintin an seo! Cuidich!

Squiribh! Fanaibh sàmhach neo...

Neo dè?... Tha thu a' maoidheadh oirnn... ach chan eil agad ach briathran. An do dhìochuimhnich thu gu bheil an gunna falamh?

Aidh, ach tha barrachd air an aon dòigh airson gunna a chleachdadh... Seallaidh mi dhuibh!

Iochd! Sin thu fhèin! Aon fhear, dithis... air an lidrigeadh!

Ro anmoch! Chuala cuideigin iad... cluinnidh mi cuideigin a' coiseachd... tha iad a' tighinn...

Greas ort! Rolaigear inc...
bidh fear dhiubh sin nas fheàrr
na gunna falamh.

Chan eil duine an seo!

Tha sinn ro
fhadalach.

'S e Tintin a rinn seo, gun teagamh sam bith!
Agus dh'fhalbh am balgair
nuair a chuala e sinn a' tighinn.
Thalla 's thoir rabhadh dhan
cheannard... agus greas ort!

Mo sheann
charaidean, an
Dr Müller agus
a sgalag Ivan!

Ivan!... Tha...

BRAG

Dè bha siud?

Duine eile ann? Chan eil coltas
gu bheil. 'S math sin! Bheir sin
cothrom dhomh rudeigin a dhèanamh
leis an fheadhainn seo!

Nis, nì siud a' chùis. Agus
bithibh modhail fhad 's a bhios
mi air falbh!

OOAAAH!

Tha peilear agam a-nis: sin nas
fheàrr. Ach, tha mi an dòchas nach
bi feum agam air... Nis, trobhad...

Aidh, ach feuch gum
bi thu nas faiceallaiche
an ath thuras.

Sin thu fhèin, Ranko. Chuir sinn às dha Tintin.

Nach neònach d' fhaicinn an seo!

An taibhs aig Tintin!

A ghràs, a thaibhs, dèan tròcair orm!

Tha e às a chiall!

Tròcair! Maitheanas! Thoir maitheanas dhomh!

AARG!...

Siud beagan 'jujitsu' agad, mo charaid ghlic!

Agus seo breab san aodann!

RAAAH!

Saoil dè bhuaidh a bhios aig an seo air...

BRAG

Dìleas! Dìleas! Càite bheil thu? Dìleas!

Eagalan! 'S tu a thoill e.

Och, sin thu, eagalain bhig! Trobhad feumaidh sinn an còrr dhen àite seo a rùrachadh.

Ist! Tha mi a' cluinntinn cuideigin a' bruidhinn air taobh thall an dorais.

...Tha e air a' chiad chuairt a bhuannachadh gun teagamh, ach chì sinn dè thachras a-nis... dh'fhaodadh e mearachd a dhèanamh... Seo e, tha e a' tighinn gar n-ionnsaigh...

Cùir do làmhan suas!

Chan eil ann ach telebhisean!

Aon chearcall eile...

...agus tha Uilleam Mac a' Ghobhainn, an sàr phileat, a' tighinn gu talamh gu sàbhailte... èistibh ris an othail bhon luchd-amhairc...

Tachartas itealain air choreigin.

Agus a-nis 's e itealain cogaidh aig feachdan an adhair a bhios againn – abair thusa sealladh agus nach iad a tha luath agus mionaideach!

Saoil dè th' air a' bhòrd...

Iochd! Nach mi a tha fortanach, liosta dhen luchd-taic aca! Agus nach iomadh dùthaich anns a bheil taic aca... Bidh na poilis air an dòigh!

- 3 -

- Hansa Släszeck Sdrodjz, 45 - Praha
- Otto Steinkopf Hedemanstrasse, 18 Potsdam
- Louis Bonvault Villa Gai-Soleil S⁺ Germain (S. et O.)
- Kees Nieuwenhuis Zilverdijk, 73 Amsterdam
- Werner Schelhammer ... Wien

Agus seo a-nis farpaiseach eile...'S e... 'S e... Chan eil... Chan eil coltas gu bheil iad air an clàradh anns an fharpais...Ach dè an diofar? Nach e a tha math! Seall siud! Tha e cho math ri duine sam bith eile!

Tha seo do-chreidsinneach... Tha làn smàchd aige air an itealan, tòrr misneachd aige na rudan a tha e a' dèanamh a dhèanamh. Tha e dàna cuideachd!

Thoir gu talamh tròcair sinn, an ainm an àigh!

B... B' fheàrr leam gum b' urrainn dhomh!

A-nis tha an t-itealan a' tighinn faisg air an talamh aig astar mòr agus a' togail dha na speuran a-rithist...

Stad! Tha sinn ag iarraidh às!

Tha e a-nis a' dèanamh air an talamh a-rithist... agus cearcall gun smal eile... agus an uair sin... iochd...tha fear dhen fheadhainn a tha còmhla ris air tuiteam às an itealan. Tha seo uabhasach!

Iochd! Abair thusa cleas! Thug siud a' char asainn!

Agus an turas seo tha e a' tighinn gu talamh...Tha e air an t-einnsean a chur dheth...

Siud e air talamh... ach tha e air tilleadh air ais suas ge-tà...

Agus tha e a' dèanamh aon char a' mhuiltein eagallach eile mus stad e ann am meadhan an achaidh.

Bhuannaich sibh! Gun teagamh sam bith. Tha sinn uile ag aontachadh... duais cleasan itealain dhuibhse!

Chan urrainn dhomh ùine a chall... Chì sinn dè eile a th' aca...

Rèidio craolaidh!... Nach mi tha fortanach!

Cuidichibh!... Cuidichibh! A' cur a dh'iarraidh nam poileas... A' cur a dh'iarraidh nam poileas... 'S e cùis-èiginn a tha seo... A bheil sibh gam chluinntinn?...

Poilis an seo. Poilis an seo. Tha sinn gad chluinntinn gu soilleir. Lean ort...

'S e an rèidio craolaidh dìomhair a tha siud a th' ann, an tè a tha sinn air a bhith a' sireadh nan trì mìosan mu dheireadh.

Tha iad gam chluinntinn!

Tintin an seo a' bruidhinn ris na poilis. Tha mi air an Eilean Dubh, far Feilebeag. Tha mi air buidheann de mhealltairean a ghlacadh. An urrainn dhuibh buidheann a chur a-nall gus an cur an grèim?

Poilis an seo... Poilis an seo. Fhuair sinn agus thuig sinn do bhrath. Cuiridh sinn taic a-null anns a' bhad. Cumaidh sinn a' conaltradh riut...

Siud siud ma-thà. Chan fhada gus am bi na poilis an seo, agus an uair sin faodaidh sinn soraidh slàn fhàgail aig an Eilean Dubh.

Tha làn àm ann airson sin. Tha mise seachd searbh dhe na h-uamhan uaigneach an seo.

Daingead! Chaidh aige air e fhèin fhuasgladh!

Tha sinn ullamh a-nis!... Bidh càch air an saoradh cuideachd; bidh am buidheann gu lèir air ar tòir!

Bithibh sàmhach! Lìonaibh ur gunnaichean. Tha sinn ag iarraidh crìoch a chur air an turas seo!

Na gabh dragh. Pàighidh e airson na rinn e oirnne!

Istibh!...

56

Siud e!

Theirig thusa an taobh ud gus nach fhaigh e air falbh!

HUIICH

Tha thu againn!

Dè nis!

BRAG

BRAG

Tha e air comraich fhaighinn anns an tùr.

Math fhèin. Chan fhaigh e às an sin.

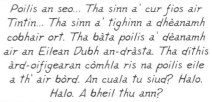

Poilis an seo... Tha sinn a' cur fios air Tintin... Tha sinn a' tighinn a dhèanamh cobhair ort. Tha bàta poilis a' dèanamh air an Eilean Dubh an-dràsta. Tha dithis àrd-oifigearan còmhla ris na poilis eile a th' air bòrd. An cuala tu siud? Halo. Halo. A bheil thu ann?

Och! Chan eil an còrr pheilearan agam! Tha mi ullamh!

Cùm ort! Tha an gunna aige falamh. Thoiribh a-nuas e!

Taing do shealbh gu bheil rudeigin agam fhathast...

?

BRAG BRAG AAH UAAH

Siud an t-Eilean Dubh. Beagan mhionaidean agus bidh sinn air tìr.

Tha mis a' dol a dh'fhaighinn Ranko. Cha bhi an t-eagal aigesan bho chlach no dhà...

Tha coltach gu bheil siud air am fuarachadh beagan...

RRRR RRRR

Cluinnidh mi einnsean...

Mo bheannachd orra! Na poilis!

RRRAA!

OOAH

Cha toir e fada!

Tha mi deiseil...

Tha agus mise...

Leum!

Nam biodh tu air comhairle a ghabhail bhuam...

An aire ort leis a' bhuille seo.

Gunnaichean sìos!

Na poilis!
Siud e seachad.

Tintin! Faodaidh tu tighinn a-nuas a-nis.
Tha e math gu leòr... 's e sinne a th' ann.

Trobhad Dìleas,
cromaidh sinn.

59

Tha mi cho duilich...
thuit mi air a' chloich...

Dha-rìribh?

Ò?

Dè thachair? An do rinn
iad strì sam bith?

Cha do rinn. Mar a thuirt
Columbus, um, an Caiptean
Cook, no ge brith cò, "Thàinig
sinn, chunnaic sinn agus
fhuair sinn buaidh!"

Sgoinneil! Mus fhalbh sinn, tha mi
ag iarraidh sùil eile a thoirt mun
àite. Nach tig sibh còmhla rium?

Itealan!

Ach càite bheil an raon-laighe?

Chì sinn. Tha doras an seo a
th' air a dhùnadh le stàlainn.

An tràigh nuair a tha làn ìseal ann...
sin an raon-laighe aca.

Agus seo poca eile dhen airgead fhuadain aca,
deiseil airson a bhith air a thoirt air falbh...

Brr! Tha i fuar a-bhos an seo.
Trobhad 's thèid sinn suas.

Eadar mi fhìn 's tu fhèin cha bhi mi duilich
an t-àite seo fhàgail... A... A bheil... A bheil
thu a' creidsinn
ann am bòcain?

Mise? A' creidsinn
ann am bòcain?
Ha! Ha!

OOOUUOOO

B-b-bòcan!

A dh'innse na firinn... T-t-taibhs!

Bòcan? Gu bheil taibhs anns a' chaisteal? Dè a' bhleadraich a th' orra.

OO UUOO

TINTIN! TINTIN!

Tha e taghta. Faodaidh sibh tighinn. Chan e bòcan a th' ann!

Dè th' ann ach an truaghan seo a' caoineadh. Thuit e agus bhris e a ghàirdean a' tuiteam sìos staidhre an tùir, dìreach mus tàinig sibh. Tha sinn nar deagh charaidean a-nis.

D-Dè tha thu a' dèanamh leis-san?

Bheir sinn leinn e nuair a dh'fhàgas sinn neo bàsaichidh an truaghan leis an acras. Bhiodh e fada na b' fheàrr àite fhaighinn dha ann an sù.

Trobhad. Tha am bàta a' feitheamh rinn.

Aig an aon àm...

Aidh, fhearaibh. Seo an naidheachd agam dhuibh. Cha bhiodh na gràisgean ud air a bhith air an glacadh gu bràth mura bithinn fhìn air a bhith ann. Thuirt mise ris a' bhalach ud a dhol chun an eilein, bhon a bha fios agam gun robh rudeigin neònach a' tachairt air. Agus dh'fhaighnich e mun bhiast. "Tòrr bhreugan," arsa mise, agus thog e air an uair sin chun an Eilein Duibh...

SEO IAD!

MO BHEANNACHD OIRBH!

Trobhadaibh!

TINTIN NAM BUADH!

Fàilte ort air ais. Am faigh sinn facal no dhà bhuat, Tintin?

Uill, tha mi...'s e...

Nach neònach sin. An tuirt mi rudeigin ceàrr?

An Naidheachd Làitheil

ÀIREAMH 11,432

Prìs 80sg

LOCH D...
UISGE-BEATH...

Oig...

CÙIS ANNASACH AN EILEIN DUIBH

LUCHD-MEALLAIDH AIR AN LORG AIR EILEAN DÌOMHAIR

Barrachd mun sgeulachd seo air duilleagan 2, 3, 4 agus 5

Còigear eucoirich air an cur an grèim air an Eilean Dubh agus bidh iad nochdadh sa chùirt ann an Dùn Èideann.

Bha an t-airgead fuadain air a dhèanamh cho math 's gun robh e a' toirt a' char à luchd-obrach nam bancaichean. Bha na mealltairean a' toirt an airgid air feadh an àite ann an itealan agus bha lìonradh eadar-nàiseanta aca airson an t-airgead fuadain a sgaoileadh.

Chuir an neach-naidheachd òg, Tintin, stad air buidheann de dh'eucoirich eadar-nàiseanta a bha a' cruthachadh airgead fuadain air an Eilean Dubh far costa na h-Alba. Bha goiriola aig a' bhuidhinn agus anns an dealbh thathar a' guidhe soraidh slàn ri 'Biast an Eilein Duibh' 's e gu bhith air a chur ann an sù ann an Lunnainn.

An neach-naidheachd cliùiteach agus feadhainn dhe na poilis threun a chuidich gus na h-eucoirich a ghlacadh. Bho chlì gu deas 's iad : E. MacGriogair, T.U. Stiùbhart, Tintin, B. MacDhonnchaidh, E. MacLeòid.

Tha an C...
Air an ea...
a' bruidh...
air fòn...
ri buidh...
ris a' Ch...
Tha e...
fosgailt...
bho 3:3...
agus a...
a chàrr...
Chunn...
turas...
no dh...
an ru...
ach ...
mòr...
is a...
un...
air...
tho...
a-s...
dh...
ch...
de...
s...
a...

...c
...à
...hd
...lta
...ng
...bbh
...ì a
...irt
...ach
...han
...gun
...each
...adh

An ath mhadainn...

Chan eil sibh a' tighinn còmhla rium?

Ann an itealan? Chan eil idir... A dh'innse na fìrinn, chan eil làn earbsa againn anns na pìleatan.

Mar sin leibh!

A' CHRÌOCH